글벗시선144 송연화 열세 번째 시집

강물 같은 인생

송연화 지음

도서출판 글벗

강물 같은 인생

굽이굽이 흘러가는 강물은 나의 인생이다.
쉼 없이 달려가는 인생길 어느덧 육십 고개
유유히 흘러 흘러서 큰 바다로 가겠지요

벅참과 희열 속에 강물에 발 담그고
한걸음 또 한 걸음 걷다 보니 여기까지 왔습니다.
이제는 굼벵이처럼 느릿느릿 가보고 싶습니다.

아름다운 인생길 행복해서 눈물이 납니다
둘이라서 참 좋습니다. 값진 인생 함께하기에
질풍노도 같은 인생길 삶의 한 자락을 삽니다.

그대와 사랑할 수 있음에 감사한 마음뿐입니다.
몸은 늘 고단하지만, 마음은 최고이지요.
남은 삶 당당하게 그리고 멋지게 행복으로
빈 가슴 채우고 싶습니다.

2021년 7월 저자 송연화 드림

차 례

제2부 차오르는 달

제3부 별처럼 살아보자

제4부 시집을 품다

제5부 들녘의 주인

제1부

나팔꽃 사랑

강물 같은 인생

굽이굽이 흘러가는
강물은 나의 인생
쉼 없이 달려가는
인생길 육십 고개
유유히 흘러 흘러서
큰 바다로 가겠지

벅참과 희열 속에
강물에 발 담그고
한걸음 또 한걸음
걷다 보니 여기까지
이제는 굼벵이처럼
느릿느릿 가보자

나팔꽃 사랑

문밖을 박차고 나가면
온 천지가 들꽃세상

줄기 따라 나팔꽃 형제들
하늘길로 쑥쑥 나들이

형형색색이 어울려
아름다움 내 뿜고 있네

있는 듯 없는 듯 소박한 들꽃
들꽃은 가을의 향기

낮게 드리워진 햇살 아래
틈새로 얼굴 내민 형제들

뚝방길 자박자박 걷는
발걸음 멈추게 해주네

어질어질 상큼함이야
이런 게 나팔꽃 사랑이야

석양

해 질 녘 서쪽 하늘
해님은 반짝반짝
산마루 걸터앉아
정답게 놀고 있네
석양빛
곱게 물들어
치맛자락 날리네

아쉬움 뒤로한 채
나무들 사이 해님
살며시 숨바꼭질
흰 구름 부끄러워
발갛게
홍당무 되어
하늘 뒤에 숨었네

16_ 강물 같은 인생

새벽에

여명의 이른 새벽
들녘은 이슬 세수

촉촉한 말간 모습
좋아라 춤을 추네

축제의 한마당 놀이
기쁨으로 모였네

전깃줄 참새 가족
즐겁게 노래하고

간만에 해님 맞이
좋아 좋아 쪼쪼 짹짹

덩달아 이내 몸 신나
흥얼흥얼 따라쟁이

장독대

가을볕 내려앉아
장독대 따끈따끈
된장과 고추장이
맛있게 익어가요
남편의 깜짝 이벤트
항아리에 꽃 선물

여보 여보 부르기에
후다닥 나갔더니
드레스 벗겨내고
채송화 울긋불긋
화분을 옮겨 놓고서
신이 나서 자랑질

맨드라미

청아한 파란 하늘
가을은 성큼성큼
맨드라미 앞세워서
우리들 곁에 왔지
빨강 꽃
짙은 화장에
온 마당이 물드네

닭 벼슬 닮았어라
아니아니 주먹 송이
마당의 지킴이 꽃
정열로 불태우고
그 기품
우아함 물씬
풍기면서 서 있네

빗방울 놀이

회색빛 하늘에선
굵은 비 방울방울
건반을 두들기고
빗방울 보글보글
도로 위
동그라미들
어디까지 가려나

방울들 동글동글
터질 듯 생겨나고
저만치 사라지고
또다시 보글 방울
서러운
하늘의 눈물
끊임없이 흐르네

닭의장풀

밭둑에 알록달록
넝쿨 진 닭의장풀
분홍 꽃 파랑 꽃들
저마다 조롱조롱
반달 속 씨앗 주머니
질긴 생명 이어가네

곱게 핀 꽃잎 속에
숨겨둔 씨앗 두 알
보리쌀 닮았기에
어릴 적 소꿉놀이
길가에 동무들 모여
옹기종기 살림 놀이

송어

양식장 검은 송어
힘차게 높이뛰기

햇살 속 은빛 물살
허공을 가르면서

산소통 물레방아는
송어 생명 지키네

그늘막 아래에는
송어떼 우르르르

장관을 펼쳐주는
그 모습 멋지구나

퍼얼쩍 뛰어오르는
수영선수 되었네

빛 가을

노랗게 물든 들녘
살포시 내려앉은
빛 가을 물든 모습
넘치게 아름답네
무지개 빛살 타고서
넘실넘실 오누나

총총히 걸어오는
가을은 여기저기
발자국 남기면서
싱그러움 눈부시어
알알이 영글어 가는
가을 들녘 꿈꾼다

들깨 꽃송이

가을향기 이슬 타고
촉촉이 내려와서

들깨밭 사방 천지
화들짝 깨웠어라

넓은 밭 들깨 꽃송이
향기로움 넘치네

하늘로 쭉쭉 뻗은
길쭉한 들깨 송이

모진 풍파 다 견디고
풍년 되어 와 주었네

꽃송이 아름 아름씩
진한 향기 뿜내네

자두꽃

세상사 시끌시끌
귀 닫고 마음 닫고

오로지 제 한 몸에
어여쁜 자두꽃을

한 송이 피워냈구나
열매 못 봐 아쉽네

제철에 피어야지
꽃 보고 열매 맺지

어이타 지금 와서
애처로이 피었다냐

서러운 자두 꽃향기
달래보자 너와 나

34_ 강물 같은 인생

땅거미

땅거미 스멀스멀
내려와 어둠 펼쳐
상가들 하나둘씩
간판 등 불 밝히고
영업을 시작함이라
행여 손님 오실까

문 닫고 영업 중단
쉬었다 문 열어도
썰렁한 분위기에
숯검정 애타는 맘
빈 가게 지키다 퇴근
휴 한숨에 날 새네

그리운 날

사촌과 육 남매들
한자리 금초하고
집 단장 깨끗하게
다 함께 차례 준비
정성껏 제사 지내고
가족 간의 정 나눔

음복술 나누면서
생존의 아버지를
그리며 추억 속을
달려본 뜻깊은 날
괜스레 울컥해진 맘
방울방울 눈물 바람

산 구름

산허리 굽이굽이
흰 구름 두리둥실

고요히 내려앉아
축복 길 열어주네

아침을 훤히 밝혀준
빛고을의 찬란함

산 구름 몽올몽올
눈부신 장관연출

해님과 마주하며
잔잔한 일상 속을

온종일 미소 지으며
즐거운 날 보내리

피마자

동그란 피마자꽃
알알이 붉게 피어
온몸에 가시 총총
제 한 몸 지키려고
스스로 보호 본능의
씨앗 지킴 고수네

피마자 열매 따서
기름 짜서 냉장 보관
변비에 효능 있어
즐겨서 먹곤 하지
우리 집 비상 상비약
배 아프면 찾지요

금잔화

파르르 떨리는 손
살며시 다가앉아
고운 널 만져봤지
어머나 무슨 향기
금잔화
꽃 지린 내음
동그란 눈 되었네

널 반길 수 없음이야
꽃 향기 지독해서
어쩌니 미안해서
겉 인사 눈으로만
화려함
예쁘게 볼게
미안하다 정말로

하얀 코스모스

순백의 코스모스
가녀린 꽃대에서

와글와글 피어나서
청순한 모습으로

꽃단장 수수한 모습
청초하고 예쁜 걸

가던 길 멈추어서
쓰담쓰담 어루만져

활짝 펴 방긋 웃는
고운 꽃 바라보면

마음속 환한 그리움
꽃물 들며 잠기네

백도라지

알토란 이웃 농장
하얀 꽃 백도라지
약초로 계약재배
볼거리 먹거리로
멋지게
농사일 구축
가정경제 살찌우네

밭 가득 넘친 열정
방글이 피어나서
꽃향기 진동하고
가을엔 수확 수매
농부의
주름진 이마
땀방울의 미소 꽃

나의 인생길

인생은 사계절 닮아가고
돌고 돌아가는 인생길에
반평생 지나 환갑의 나이

이제는 은은한 커피 향처럼
오래도록 사람들의 기억 속
살가운 사람이고 싶어라

단풍이 들어가는 계절 가을
왜 쓸쓸함이 묻어나는 건지
내 인생 가을로 입성했기에

후회를 남기지 말자
고인 물도 되지를 말자
향기로운 삶 살아보리라

짧게 남은 나의 인생길
이웃을 보듬고 사랑하면서
진솔하게 그대와 살아가리

제2부

차오르는 달

그리움

호수 같은 쪽빛 하늘
흰 구름 두리둥실
그리움 걸어 두고
보고픔 새겨본다
살며시
바라보는 맘
콩닥콩닥 설레네

호젓한 언덕 위에
저 하늘 바라보며
걸어 둔 그리움에
살며시 다가오는
정다운
임들의 모습
손 흔들며 오누나

왕 대하

얼음 속 숨긴 몸통
긴 수염 구부러진
왕 대하 날아왔죠
기쁨이 두 배 세 배
어쩌죠
나의 스승님
감사해요 정말로

친구들 몰려와서
맛보기 자랑했죠
고마움 어찌 갚죠
아릿한 은혜로움
글벗에
뼈 묻을 각오
가슴 깊이 새겨요

알밤

바람이 살랑 불면
고슴도치 밤송이들

탁탁 톡톡 데굴데굴
단단한 알밤 형제

내게로 굴러서 오고
반짝반짝 빛나네

밤이라 밤색일까
밤송이 삼 형제들

단단한 껍질 속은
삶으면 포근포근

만점의 영양 덩어리
미숫가루 만들래

조

도로 옆 조 이삭에
발길을 멈추었네

커다란 송이송이
알알이 영글어서

빛나는 가을 햇살에
단단하게 익어가네

다닥다닥 모여 모여
가시 품고 고개 숙여

명품의 좁쌀 되어
우리들 밥상 위로

별미로 입맛 돋아서
사랑받고 있구나

수세미

한해살이 덩굴식물
수세미 길쭉길쭉

오이도 아닌 것이
닮은꼴 입이 쩌억

볼수록 신기방기야
어쩜 저리 컸을까

마당 한 켠 심어두고
두 내외 오손도손

바라보며 사는 재미
즐기며 산다네요

즙 내려 건강 지킴이
으뜸이라 하셔요

이 아침에

햇살이 바람을 가르고
들녘의 노란 물결들은
참새들 쪼아대는 아픔을
애써 견디고 있다

가을 햇살이 예쁘게
내려앉은 장독대
빛가람으로 반짝이고
따스한 온기 속에 숙성

들깨밭에선 가요
내 나이가 어때서
들썩 들썩이고 웃고픈
이 상황이 미소 짓게 한다

엉뚱한 그 사람 때문
참새가 나이를 몰라서
대답을 안 하고 발걸음을
뚝 멈추었다고

신선한 발상에 또 하루
즐겁게 시작함이다
고단한 삶의 언저리 웃으며
살 수 있음에 감사하자

가을 사랑

곱게 내려앉은 가을
마당 끝에서
재주를 부리네

붉게 익어가는 대추
고개 숙인 황금벼
색깔이 변하는 들녘

잠자리 빙빙 돌고
참새 떼 마당에 우르르
시끌벅적 머무르네

어느결에 발걸음 총총
들녘으로 향하여
가을걷이 하는 중

어떤 모습으로 올까
가슴이 두근두근
풍요로움 기다림이야

차오르는 달

가을밤 쏟아지는
달빛에 훤한 들녘
반달이 차오르는
그리움 둥실둥실
보름달 쳐다보면서
소원 빌 수 있을까

까만 밤하늘에는
파란 별들 초롱초롱
수놓은 불꽃 쇼에
황홀한 아름다움
밤하늘 차오르는 달
그늘진 맘 비추네

고유의 명절

고향집 그리워서
흩어져 살고 있던
형제들 모두 모여
송편 빚고 전 부치고
어머님
손주 재롱에
주름살이 펴졌죠

지나간 추석날이
그립고 그리워서
남몰래 눈물 나네
어머님 떠나시고
시댁의
고향 집에는
적막강산이라오

우리의 고유 명절
한가위 가족들과
보낼 수 없는 현실
갈수록 태산이요
코로나
벗어나기를
기다리고 있지요

잘 가라 구월아

지치고 힘들었던
구월이 떠나가고

시월이 찾아왔네
얼마나 변화 줄까

가을의 고운 모습에
행복했음 좋겠네

푸른 옷 벗어두고
꽃무늬 알록달록

시월은 화려하게
내게로 다가오고

꿈꾸며 고운 희망을
가득 품고 살자네

소원

배불 뚝 꽉 찬 달님
발걸음은 가볍게
산 위에 얼굴 쏘옥
왜 이리 반갑지요
황금색 둥근달 보며
간절함을 전해요

두 아들 고운 인연
만나게 해달라고
정성을 고이 담아
어미의 바람으로
달님께 빌어봅니다
내 소원 좀 들어줘

거미줄

새벽에 내린 이슬
햇볕에 반사되어

무지개 고운 빛깔
영롱하게 반짝이고

거미줄 먹이 사슬에
지혜로움뿐이야

왕거미 올가미 줄
촘촘히 엮고 엮어

사랑님 기다리나
바람에 한들한들

끔찍한 왕거미 사랑
애처롭다 어이해

경포 호수

동그란 하늘
뭉게구름 몽실몽실
곱디고운 파란 하늘

경포 호수 둘레길
자전거로 씽씽
둘이서 밟는 페달

지친 몸 쉬어가자고
나들이 나와서
누리는 기쁨과 쾌감

솔 향기 풍기는 해송
아기자기 숲길
갖가지 꽃길 이여라

도란도란 이야기꽃
주고받는 대화 속에
사랑이 익어간다

가족이야

좋아서 시작하고
가족이 되어줌에
고맙고 감사하고
이보다 더 좋을까
두 사람 사랑하면서
행복했음 좋겠네

조금씩 이해하고
정 나눔 가족이야
배려와 사랑으로
형제간 우애 속에
살갑게 지내다 보면
좋은 일들 올 거야

산행

두 사람 갈을 떠나
오르막 내리막길
사브랑 함께 걷는
산행길 아름답네
자연이
주는 감사함
평화롭고 행복해

오르고 또 오르고
높은 산 산마루에
잠깐의 쉼을 얻어
과일과 김밥 먹고
글쿠와
노루궁뎅이
고운 버섯 얻었네

귀한 걸 얻었으니
모여서 나눔할까
좋아라 오시겠지
이웃과 오손도손
한 끼로
토종닭 백숙
막걸리도 나누며

별님 달님

퇴근길 밤하늘엔
별님 달님 가득 품고

환하게 활짝 웃는
뽀얀 달 아름답네

한 폭의 수채화 그림
온 누리에 비추네

별 무리 반짝이는
어둑한 마당 뜰엔

숨죽여 피고 지는
분꽃의 속삭임들

달빛이 분꽃에 앉아
지켜주고 있구나

김장배추

남편의 정성으로
금 배춧속 노랑이
예쁘게 자라주네
배춧속 꽉 차올라
통배추 모습들이야
튼튼하게 자라라

통배추 판매하고
절임과 양념으로
각각이 주문대로
택배로 보내야지
기쁨이 콩닥거리네
벌써부터 설레네

휴휴암

휴휴암 바닷가엔
볼거리 기암괴석
바다와 어우러진
사찰의 이곳저곳
웅장한 관세음보살
합장하고 빕니다

바닷가 마당바위
돌 틈새 바닷물은
황어 떼 뛰어올라
볼수록 신기하네
바다엔 물 반 고기 반
먹이 주며 즐기네

보고 싶다

그리움 깊어가고
알싸한 바람결에

콧속이 뻥 뚫리네
뼛속까지 서늘한 날

옷깃을 여미게 하네
깊어가는 가을날

그리움 가득 안고
먹거리 손질하며

보고픔 달래본다
언제 쯤 만나려나

소중한 나의 벗들아
보고 싶다 정말로

나팔꽃

찬 이슬에 고개 숙인
이 새벽 기상나팔
뚜뚜뚜 아침이야
반갑게 인사하네
나팔꽃
애처롭구나
우리 만남 짧은데

여름날 뜨거움도
이겨내고 꽃 피워서
곁으로 돌아온 너
보라색 고운 모습
최고야
나팔꽃 미소
그대 품에 넘치리

제3부

별처럼 살아보자

값진 인생

아름다운 인생길
행복해서 눈물이 난다

둘이라서 참 좋다
값진 인생 함께하기에

질풍노도 같은 인생길
삶의 한 자락에서

그대와 사랑할 수 있음에
감사한 마음뿐

몸은 늘 고단하지만
마음은 최고이기에

남은 삶 당당하게 멋지게
행복으로 빈 가슴 채우리

마음이 가는 곳에

며칠째 들녘에서
깻잎과 고들빼기
다듬고 손질하고
양념에 목욕시켜
고운임
정 나눔으로
둥실둥실 보냈네

고단한 일정 속에
하나둘 늘어나는
반찬들 좋아할까
상상 속 시간여행
나 홀로
즐거움 넘쳐
헤매고 있구나

오가는 인정 속에
나눔의 깊은사랑
손끝으로 이루어진
푸성귀 잔치 벌여
흐뭇한
하루의 일상
웃음꽃에 살아요

가을 앓이

출렁이는 가을 향기
숲으로 전해지는
바람 소리 쫓아간다

곱게 물들어 가는
앞산의 단풍밭
울긋불긋 요란한데

내 맘속엔 휑하니
바람만 오락가락
또 이리 지나가나 보다

유난히 심한 가을 앓이
아픔을 겪은 지난 시절
잊고만 싶음이다

제발 아주 떠나가라
흔적일랑 남기지 말고
멀리멀리 가려마

가을걷이

마음이 급해진다
갑자기 기온이 뚝
된서리 내려질까
괜스레 민감해져
추수에
동동이는 맘
태산 같은 일거리

지인들 불러다가
고들빼기 캐가라고
욕심을 부렸더니
여기저기 농작물들
아까워
어이 할까나
다듬어서 보내자

추수

마당의 나뭇잎들
우수수 떨어지고

들녘이 황량하게
옷 갈아입은 채로

떠난 뒤 허허롭구나
쓸쓸함의 잔영들

탈곡기 왔다 갔다
농부들 부산스레

새참에 막걸리 쭉
짜장면 드시더니

순식간 벼 사라지고
추수 끝난 빈 논밭

코스모스꽃

가녀린 코스모스
어서 오라 손짓하네
한 아름 무리 지어
울긋불긋 아름답게
가을을
담고 있었네
코스모스 예뻐라

화려한 고운 빛깔
저마다 고운 자태
뽐내며 길 지킴이
향기로 유혹하네
캠핑장
입구에 피어
두 눈으로 즐겨요

토종밤

토종밤 껍질 벗겨
햇볕에 말리는 중
농사지은 곡물들과
섞어서 미숫가루
맛있게 만들어야지
한 끼 식사 될 거야

모두들 좋아할까
옥수수 준비 완료
하나둘 완성되는
우리 집 먹거리들
모두가 내 정성으로
만들어져 뿌듯해

고추부각

끝 고추 골라골라
반으로 나누어서
씨 빼고 물로 씻고
다듬어 찹쌀가루
옷 입혀 바구니 쪄서
고추부각 만들죠

맛있는 냄새 솔솔
뚜껑이 들썩들썩
하얀 김 모락모락
한소끔 올라오면
먹거리 또 하나 완성
겨울내내 먹지요

억새

은빛 물결 일렁이는
하얗게 핀 억새꽃
곱게 빗은 머릿결처럼
찰랑이고

바람에 춤추는 물결
사그랑 사그랑이 불러주는
억새의 아름다운 노래
정겨움이 남실

굴곡진 산허리
저 들만의 향기가
바라보는 이들에게
억새꽃 여운이 넘쳐
낭만이다

황혼의 인생길에
함께 발 도장 찍으면서
짬짬이 둘러보는 여행
삶의 고운 모습이야

가을에 띄우는 편지

청잣빛 짙푸른 하늘
금빛 햇살 포실포실
소담스럽게 내리는 날
구름 따라 흐르는 맘

속절없이 그리움이
울컥이며 내게로 오고
살며시 낙엽 편지를
꼭꼭 눌러서 띄워 보낸다

빨간 낙엽 편지
노랑 꽃잎 사연을 담아
심중 깊은 곳으로 훨훨
닿을 수 있으려나

사랑아 내 사랑아

소중한 나의 보배
오신 날 임의 탄생
생일을 축하해요
사랑아 내 사랑아
따뜻한 미역국 끓여
그대에게 드리리

정성을 가득 담아
사랑꽃 살풋살풋
향기 품고 다가가요
그대를 사랑해요
이대로 지금처럼만
즐기면서 삽시다

김장 무

기온이 뚝 떨어져
김장 무 뽑아 씻어
다듬고 손질해서
갈무리 걱정은 뚝
김장철 골라 골라서
필요할 때 쓰임새

오동통 늘씬하니
매끈매끈 몸매 자랑
말끔히 목욕하니
푸르름 가득이야
아가씨 미인 선발대
뽑혀갈 수 있겠네

머리는 싹뚝 잘라
파랗게 데쳐 삶아
무 청 한 팩 두 팩
바구니 가득가득
싱싱한 먹거리 완성
얼씨구나 좋구나

채 썰어 속배기랑
깍두기 만들어서
각처로 보내야지
기쁜 맘 부푼 가슴
즐거운 마음 담글 질
이보다 더 좋을까

멋진 가을

살포시 운무 모여 모여서
어디로 가는 걸까

곱게 물든 단풍산
살랑살랑 가득 덮은 체

황홀한 비경에 취해
바라보는 눈 어질어질

너도 나처럼
이 가을 마중 나왔구나

고운 자연 선물 받고
풍덩풍덩 미끄럼 타는 맘

그리운 사람아
기다리고 있는데

이 멋진 가을 풍경 속으로
맘껏 달려보고만 싶어

바람과 낙엽

마당에 바람이 일고
휘이휘이 우수수
낙엽을 떨군
스산함에 아리다

어쩌나
이리 고운 옷들을 벗고
앙상한 몸통
강제 소환되었네

바람이 미워라
짓궂은 장난질에
애잔함으로 떠나는
낙엽들이여

하루의 시작

새벽에 눈을 뜨며
들녘에서 보낸 시간
산적한 들일들은
쌓이고 늘어나서
잠시도 쉴 수가 없네
피곤하다 정말로

기계로 들깨 털이
쉬운 줄 알았더니
모두를 한 몸으로
짓이겨 놓았구나
이 일을 어찌할까나
한숨부터 나오네

별처럼 살아보자

스스로 빛나는
밤하늘 별처럼
곱게 살아보자

수없이 많고 많은
별들중 샛별처럼
부지런히 살아보자

이 세상 모든 빛을
내어주고 한 몸
떠날 때 아쉽지 않게

빛나는 별이 되어
외로움을 달래주는
살가움으로 지낼 수 있게

밤 미숫가루

토종밤 바람에 툭
긴 시간 줍고 모아

말리고 곱게 빻아
갖가지 곡물 섞어

드디어 먹거리 탄생
고이고이 담는다

깊은 맛 부드럽고
달착지근 고소함에

맛보기 한 잔으로
푹 빠져 손이 가네

고운임 찾아가는 맘
기쁨으로 만나리

128_ 강물 같은 인생

들깨 타작

청명한 가을 파란 하늘
따스한 햇볕 받으며
포장 깔고 들깨 타작 놀이

아름아름 안아 뉘고
그 사람과 마주 보며
도리깨로 타닥타닥

뽕짝 틀어놓고 신명 나게
앞으로 털고 돌려서 털고
들깨서 향기가 나풀나풀

돌리고, 돌리고, 쿵짝쿵짝
알갱이들 주르륵 쏴쏴
쏟아지는 사랑스런 낟알들

태풍 견디고 풍년으로
돌아와 준 대견한 농작물
고소한 향기 기쁨이어라

멜론

농장주 이웃사촌
인심도 좋아 좋아
골라서 판매하고
남은 걸 몽땅 주네
손수레 가득 담아서
어기영차 옮겼네

노래방 손님들께
나눔해 드려야지
못난이 멜론 얼굴
가로세로 실 그물망
연두색 멜론 속살은
부드럽고 달콤해

단풍꽃

단풍꽃 알록달록
오라고 손짓하네
멋진 옷 갈아입고
가을 향 유혹이야
가슴은 큰 벅참으로
터질 것만 같으네

절정의 가을 단풍
눈으로 가득 담고
마음에 고이 쌓아
추억의 책갈피 속
그립고 보고 싶은 날
살그머니 봐야지

제4부

시집을 품다

배추야

노랑꽃 꼬들꼬들
올 김장 절임 배추
얌전히 고이 달래
꽃가마 택배차로
시집을 보내 주었지
잘 가거라 배추야

겨울의 식탁 위에
살며시 날개 달고
김치로 달달하게
가족의 사랑 속에
정다운 젓가락 장단
행복하게 지내렴

가을 배웅

가을을 배웅하며
겨울을 맞을 채비
서둘러 해야 하나
우수수 떨어지는
노오란 은행잎들이
양탄자를 깔았네

단풍꽃 화려함에
좋아라 했었는데
앙상한 그루터기
헐벗은 은행나무
노오란 그리움 가득
심어놓고 떠나네

바람 부는 날

찬바람 휘이휘이
심하게 심술부려
상처의 아픔이야
낙엽을 안고 돌며
바람은
울고 있구나
서러워서 어쩌니

보내기 아쉬워서
낙엽과 뒹굴뒹굴
사랑 참 얄밉구나
덜커덩 소리 내는
바람아
멈추어다오
헤어지기 싫어라

서리꽃

강추위 몰려와서
온 들녘 꽁꽁 얼어

하얀 입김 모락모락
멍울이 퍼져가고

서리꽃 하얗게 피어
안개처럼 오르네

아직도 계절 잊은
콩 꼬투리 배가 홀쭉

애당초 사랑받기
글렀네. 어이할꼬

때늦은 수확기 들어
만날 수가 없구나

아침의 시작

찬란한 금빛 햇살
창문을 두드리고
기지개 활짝 피며
아침의 일상 속을
총총히
걸어가 본다
노란 행복 맞으러

피곤함 밀려와도
주문과 택배 보낼
들뜬 맘 행복 미소
고객들 사랑으로
고단함
즐거움으로
극복하고 달리죠

사랑의 향기

오가는 인정 속에
한 자락 꽃이 피네

사랑 꽃 진한 향기
바람결 날려 와서

온종일 싱글벙글해
훈훈함에 취하네

사랑의 정 나눔들
상자 속 둥근 얼굴

귀한 선물 감사함에
마음이 울컥해서

살며시 보고 또 보고
감동해서 눈물 나

시집을 품다

시집을 품에 안고
뭉클함 복받침에
기쁨의 눈물 바람
힘들게 한 권 두 권
생활 속
버팀목 되어
일어서게 만들죠

시집책 꽁꽁 싸서
보내 줄 택배 동봉
얼굴을 마주하듯
받는 이 기쁨으로
시집 책
감사의 선물
품에 안겨 드려요

잠자는 바다

바다는 변화무쌍
검은색 얼굴 띄고
잔잔한 모습으로
고요히 잠을 잔다
흰 파도 보이지 않고
지평선은 저 멀리

평온한 바다 보며
그립던 속마음을
모두 다 쏟아내고
비릿한 바다 내음
정겨운 바다 풍경을
마음으로 담았네

바다는 은빛 물결
햇볕에 반사되어
뽀샤시 고운 얼굴
고깃배 어디 가고
적막한 바다 모습에
풍덩풍덩 빠지네

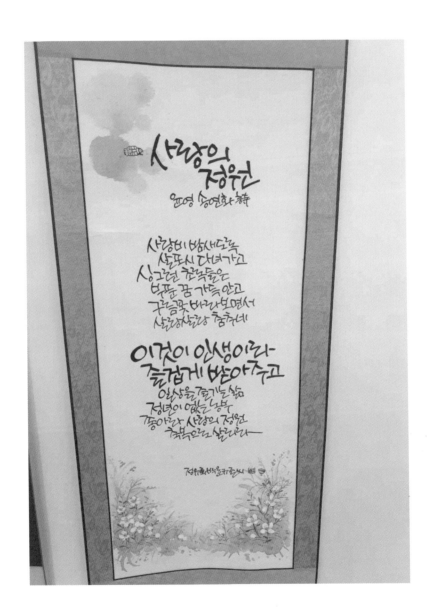

삶의 길

하늘의 구름만큼
이 아침 행복 좇아
둥둥둥 떠다니는
아름다운 삶의 길
하루를
열어 가리라
순간순간 즐겁게

부족한 마음자리
챙기고 쌓아가며
소박함 넘침 없이
담쟁이 넝쿨처럼
오르는
희망 길 따라
나눠주고 베풀고

퇴근길

근심을 털어내듯
마음을 다잡으며
연이어 쏟아지는
코로나 확진자에
가게는
손님 발길 뚝
간판 불만 지켰네

달님도 숨어버린
까만 밤 빛나는 별
수놓은 빛 축제에
춤추듯 흔들리고
정다운
별 마중으로
퇴근길을 달리네

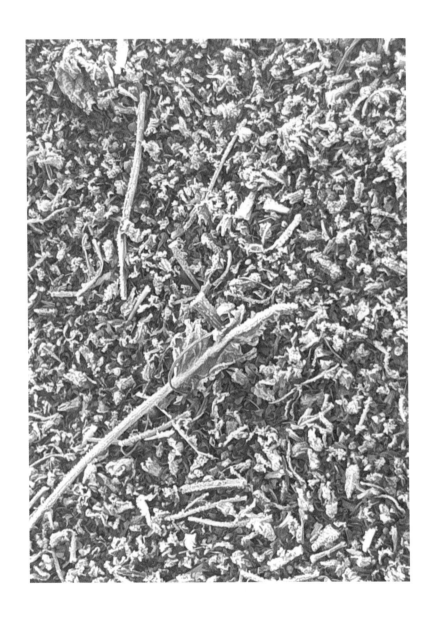

겨울의 길목

찬 서리 하얗게 내려
배추도 서리태 콩도
꽁꽁 얼어 버렸네

주고받는 대화 속
입김이 모락모락
괜히 웃음만 피식

배추절임 수일 내로
마무리해야 되는데
허물이 벗겨지네

낮과 밤의 기온 차
다르기에 농작물도
힘이 드는가 보다

온천욕

겨울 김장 주문 택배
재충전 쉼 하는 날

공기 방울 뽀글뽀글
살갗에 살짝 밀착

모락모락 수증기
탄산 수욕 즐기네

어머니 함께 하며
해맑은 소녀처럼

좋아라 신이 나신
즐거운 모습 보니

덩달아 행복해지네
따라쟁이 두 모녀

예쁜 가을날

팔색조 같던 가을
예쁜 옷 벗어놓고
훨훨 훨 떠나가네
불타던 사랑놀이
추억 속 잠들게 하고
속절없이 떠나네

떨어진 단풍꽃은
소복소복 쌓이는데
아쉬운 이내 마음
소소한 일상으로
제대로 즐기지 못해
안타까움 뿐이네

산책

호젓한
오후 산책
그대랑 함께 걷는

낙엽 길 자박자박
장수의 비결이죠

쉬면서 건강지킴이
부러울 게 없어라

한적한
이웃 동네
물소리 바람 소리

두 눈이 호강하고
호사를 누리는 몸

가슴이 뻥 뚫리는 듯
신선해서 좋아라

목화

뜨락에 몽실몽실
목화가 피었어요
새색시 시집갈 때
솜 틀어 원앙금침
이불을
만들어 주죠
폭신폭신 따스함

새하얀 목화송이
막대에 휘휘 감아
입안에 사르르르
솜사탕 착각하죠
달콤한
유혹의 손길
잊을 수가 없어라

늦가을 비

이별의 눈물인가
촉촉이 내리는 비

뒹굴뒹굴 낙엽들도
길 잃고 갈팡질팡

톡톡톡 쌓이는 낙엽
애처롭기 짝 없네

바람과 친구 되어
사랑하며 지냈는데

겨울을 재촉하는
늦가을 비 미웠어라

낙엽은 애처롭게도
길게 누워있구나

호박 여행

갑자기 세찬 비에
도랑물 찰랑 넘쳐
황톳빛 빗물 세례
둥둥둥 늙은 호박
한양 길
여행 떠나고
바라보며 배웅 길

얼마나 고단할까
굽이굽이 물길 따라
호박은 세상 구경
멋진 꿈 맘껏 펼쳐
좋은 곳
터전 잡아서
자식 농사 지으렴

환갑 선물

환갑날 황금 팔찌
남편의 깜짝 선물
그대랑 함께하는
특별한 날 짧은 여행
뒤돌아
생각해보니
굽이굽이 사연 길

두 아들 챙겨주는
두툼한 봉투 속엔
얌전한 신사임당
어느새 훌쩍 자라
듬직한
어른이 되어
효자 노릇 다하네

갈대

태화강 둔치에는
하얀 꽃 넘실넘실

장관의 갈대숲이
온몸으로 춤을 추네

행복해 부르는 노래
싸륵싸륵 차차차

저마다 도리도리
장관의 은빛 물결

고운임 마주하는
동행에 아름다움

갈대꽃 손잡아주네
도란도란 어울림

배추꽃

배추꽃 한 잎 두 잎
서로들 마주 보며
다소곳이 얌전하게
주인을 기다리네
노란 옷
갈아입고서
기다려요. 그대를

이날을 기다렸죠
그대와 만남의 날
손잡고 떠나볼까
긴 장마 여름날들
잊고서
웃으며 가요
팔랑팔랑 기쁘게

제5부

들녘의 주인

마지막 잎새

모두 다 떠나가고
마지막 달랑 하나
가지 끝 잎새 한 잎
쓸쓸하고 애처롭네
바라만 보고 있어도
눈물 나는 애잔함

다가온 계절 앞에
이별은 아픔이네
단풍꽃 떠나가고
나 홀로 남은 운명
아마도 마지막 잎새
눈물방울 흐르네

낙엽별 되어

한때는 젊음으로
싱싱함 자랑하던
푸르른 날들 가고
단풍이란 이름으로
고운 꿈
가슴에 품고
사랑받고 살았지

바람에 소복소복
낙엽들 쌓여 지고
그리움 가득 담은
임들의 고운 편지
뜨락에
낙엽별 되어
콕콕 박혀 빛나네

친정

새벽의 여명을 뚫고
친정집으로 달려달려
엄마의 부름 와 줄래
그 한마디 말씀에 네

처가집 일이라면
무조건 직진 남편
얼굴 살 찌푸린 적 없는
정 많고 따스한 사람

새로 맞이할 염소 가족들
예쁜 우리 짓는다고
부단히 노력하는 오빠
거침없이 일하는 만년 농부

내겐 참 소중한 사람
등 기대어 의지하면서
지금처럼만 살갑게
사랑하며 살고프다

냉이 캐는 아낙

가을걷이 끝난 빈 들녘
동네 아낙들의 놀이터

냉이 캐서 다듬고 씻어
시장에 팔아 용돈

도란도란 사는 얘기에
즐거움만 가득이네

한가해진 요즘 소일거리
주머니 두둑 채워 주려나

달빛

퇴근길 변함없이
달빛이 배웅하고
고요한 새벽길을
달려서 집에 도착
정다운 삶의 터전에
행복한 꿈 펼치자

고운 잠 깊은 숙면
꿈꾸며 단잠으로
하루의 피로 풀며
피곤함 풀어보자
수고한 귀한 몸이여
토닥이며 쉼 하자

동트는 아침

나무숲 사이 해님
얼굴 쏙 반가워라
얼마나 좋은 일이
생길까 사뭇 설렘
오늘도
동트는 아침
들녘에서 보낼까

신선한 이 아침이
좋아라 샤방샤방
하루의 계획대로
뜻 펼쳐 차근차근
대청소
꿈을 좇아서
깨끗하게 마무리

가을 이별

가을의 남아있는
흔적을 차곡차곡
고이고이 쓸어 담고
쌓이는 낙엽 속에
아쉬움 추억 가득히
남겨두고 떠나네

가을은 멀리멀리
찬바람 휘이휘이
소중한 추억들만
맘속에 간직한 채
가을과 이별 준비 중
떠나가네 가을이

서릿발

서릿발 송골송골
알알이 대롱대롱
얼음이 되었구나
얼마나 추웠을까
들녘이
싸늘한 추위
밤새 떨고 있었네

준비를 해야겠지
다가올 겨울채비
겨울잠 동면으로
숨 쉬며 꿈을 꾸렴
또다시
만날 그날을
희망으로 찾을게

들녘의 주인

추수가 끝나버린
빈 들녘 까치들이
지키고 있었구나
낱알들 먹이 사냥
어쩌나 추워지는데
둥지 찾아 가려마

자연과 어우러져
더불어 살아가는
지혜를 터득하고
배우며 살아가는
오늘도 들녘의 주인
까치들이었구나

사랑꽃

살며시 피어나는
사랑꽃 온정 속에
처가댁 달려가는
소중한 내 사랑은
염소들 울타리 완성
거침없이 달린다

옆 지기 소중한 임
배려와 정 나눔은
언제나 한결같은
우직한 성품이다
만남은 미완성으로
이젠 최고 내 사람

쉬어가면 어떠리

출근을 접고 나니
하루가 너무 길어
소일거리 찾게 되네
밭 언덕 호박 덩쿨
말끔히
걷어 내주고
살포시 즐기네

휘영청 밝은 달빛
떠오름 맘껏 보며
새로운 이색 체험
집주변 낙엽 쓸어
언 들녘
푹 덮어주고
깨끗하게 마무리

달빛이 너무 고와
즐기며 일한 보람
이 또한 낭만이야
수많은 세월 속을
쫓기듯
살아왔는데
쉬어가면 어떠리

염소 가족들

친정집 염소 가족들
우리 짓고 울타리 치고

신명나게 일하는 두 남자
오빠와 남편

언덕 위 삥 둘러 철심박고
철조망 씌우고

염소 가족들 뛰어놀 수 있는
광장을 만들어 주고

새로운 집으로 이사 온 첫날
두 마리 염소 남매 탄생

매엥 대고 우는 모습
어찌나 귀여운지

우르르 몰려나와 햇볕 쬐며
한가로이 풀 뜯는 염소들

노을빛

옷 벗은 나뭇가지
정면에 덩그러니
추위에 떨고 있네
푸르던 날 싱그러운
추억들 되새김하며
당당하게 서있네

그리움 노을빛에
삭이고 물들이며
잎새들 곱게 물든
단풍도 산자락에
비행해 내려 앉았네
애처로워 어이하나

앞산의 고운 자태
화려한 노을빛에
반사된 앞마당은
반짝임 출렁이고
하루가 저물어가는
노을빛에 잠긴다

나의 삶

따스한 햇살가득
창가에 차오르는
오후길 느릿느릿
한걸음 옮기면서
뒤돌아 살펴보는 삶
바쁘게도 살았네

사랑의 굴레 속에
온기로 살다보니
여기까지 인생여정
순풍 순풍 달려왔네
아서라 이제는 슬슬
즐기면서 살자고

소중한 하루하루
아끼고 사랑하며
나의 삶 건강한 몸
가꾸고 챙기면서
더 좋은 미래를 위해
글벗에서 꿈 찾자

곤드레 농사

포실한 흙의 기운
좋아라 만져보는
신선한 이 촉감에
설레고 기분상승
농사일 그리워었나
벌써부터 이러니

구멍 송송 비닐 씌워
밭고랑 준비하고
씨앗들 제자리에
토닥여 심어줬네
내년 봄 푸르름으로
활짝 피어 만나자

찬 기운 스멀스멀
언 땅에 심었으니
겨우내 톡톡 터져
제 역할 건강하게
곤드레 농사 잘 되리
희망심고 웃는다

씨앗을 품고

길가의 꽃 씨앗들
하얗게 몽올몽올
이별을 준비하고
바람결 한들한들
가득히
씨앗을 품고
웅크리고 있구나

이별이 아쉬워서
저토록 모여 있나
이 겨울 애잔하게
쓸쓸히 다가오네
젊은 날
사랑 받으며
꽃필 때가 좋았지

용대리 얼음 꽃

물방울 하늘높이
꿈틀이 비행해서

얼음 꽃 화사하게
곱게도 피었구나

바람이
심하게 불어
몸 지탱이 어렵네

하얀 꽃 얼기설기
용대리 자랑이라

언덕 위 인공으로
호수 물 얼려주어

바윗돌
하얀 얼음 꽃
설렘으로 만나네

원앙새

떼지어 한가로이
즐기는 원앙새들
물속을 헤엄치며
오르락내리락
자맥질 날개 쫙 펴고
사랑놀이하누나

고운 모습 알록달록
가족들 어울려서
질퍽이 노는 모습
한참을 바라봤네
원앙새 천연기념물
사랑 으뜸이라죠

해오름

봉우리 한가운데
우람한 금빛 해님
찬란히 떠오르네
좋은 일 생기려나
해 오름
빛나는 오늘
살폿살폿 즐기자

황홀한 아침 해가
치악산 넓은 품에
고운 잠 깨어나서
활기찬 발돋움에
기지개
활짝 피면서
바라본다. 해오름

하얀 집

하늘 꽃 나풀나풀
향기도 없으면서
맘까지 꽃피게 해
깜찍한 요술쟁이
어머나 어쩌면 좋아
동화 같은 하얀 집

이렇게 좋을 수가
온 세상 깨끗하게
환하게 반겨주어
저절로 웃음 활짝
오늘은 지상의 낙원
하늘 꽃에 행복해

나눔의 씨앗, 사랑의 시를 심다

– 송연화 시집 『강물 같은 인생』

최 봉 희(시조시인, 평론가, 글벗 편집주간)

독일의 심리학자 막스 플랑크 박사는 30개월 무렵의 아기들을 대상으로 한 재미있는 실험을 했다. 인간 유전자 속에 숨은 이타적인 성향을 밝혀내고자 한 것이다. 아이들이 보는 눈앞에서 물건을 실수로 떨어뜨리는 척하며 난감해하는 표정을 취했다. 그러자 대부분의 아기들은 떨어진 물건을 상대방에게 집어주는 행동을 보였다는 것이다. 아이들이 행동은 어떤 보상이나 대가를 바라고 한 행동이 아니었다. 정말 우리 내면에는 타인을 먼저 생각하고 배려하는 유전자가 숨어 있다는 반증이 아닐까?

나 역시 주변에서 나눔을 실천하는 많은 분을 만날 수 있었다. 예를 들면 시인이자 종자 사업가인 신광순 회장(주식회사 신농)이 대표적인 분이시다. 종자와 시인 박물관 건립과 기부에 관한 이야기다. 1984년부터 자신의 고향

(경기도 연천군 현문로 433-27)에서 3만 평의 땅에 2만 그루의 나무를 심었고, 42억의 비용을 들여 '종자와 시인 박물관'을 건립했다. 하나하나 직접 돌을 고르고, 쌓아서 터를 가꾸고 마침내 2017년 종자와 시인 박물관을 개관했다. 대리석 하나까지 직접 골라서 지은 건물이다. 그리고 오랜 시간 동안 수집한 다양한 씨앗, 종자 표본과 다양한 고서, 사전, 교과서, 문인들의 저서를 빼곡히 전시하고 있다. 그런데 놀라운 것은 이 모두를 사회에 기부했다는 사실이다. 그뿐인가 현재 50여 명의 시비가 세워져 있다. 앞으로도 우리나라의 100여 명의 문인 시비를 조성할 예정이다. 이전에는 신광순 시인은 북한의 식량난을 구제하기 위해 생명의 위협을 느끼면서도 북한에 간 적이 있다. 직접 가서 감자 등의 씨앗을 무료로 공급하는 것은 물론, 농사짓는 최신 방법을 직접 알려주기 위해서였다. 지금도 가정 형편이 어려운 학생들을 위해 장학회를 설립하고 조용히 돕고 있는 분이기도 하다.

"농부는 흙에 씨앗을 뿌리고 시인은 사람의 가슴에 씨를 뿌리는 사람이다"

신광순 시인의 철학이 오롯이 담긴 말이다. 한 민족의 흥망성쇠는 식물 종자와 사람의 가슴 속에 심은 문화의 씨앗이 좌우함을 깨닫고 후세에 교육의 지표가 되길 바라는 마음에서 시작했다고 했다.

생각하면 할수록 존경과 감사의 마음이 앞선다.

내가 아는 문인 중에도 이처럼 따뜻한 마음으로 나눔을 실천하는 분이 또 한 분이 있다. 오늘 만나는 시인, 바로 윤영 송연화 시인이다.

송 시인은 오늘도 자신이 정성 들여 지은 농산물과 자신의 인생을 담은 시집을 아무런 대가 없이 이웃과 나눈다. 물론 판매도 하고 수익의 사업을 하고 있다. 하지만 그의 농산물은 자신이 삶을 기록한 시집과 함께 이웃과 나누면서 살고 있다.

언젠가는 어려운 상황에 있는 작가들의 시집 출판 지원을 내게 의뢰해 온 적이 있다. 나눔과 행복은 전염이 된다고 했던가. 나 역시 나눔의 혜택을 받아본 경험이 있었기에 아무 대가 없이 동의했다. 그리고 지금도 그 나눔을 함께 실천해 나가고 있다.

그렇다면 송연화 시인의 시에 드러나는 나눔의 철학을 한 번 살펴보고자 한다. 그의 나눔의 정신은 가족 사랑에서부터 시작한다. 왜냐하면 가족이 행복해야 이웃도 행복하기 때문이리라.

사촌과 육 남매들
한자리 금초하고
집 단장 깨끗하게

다 함께 차례 준비
정성껏 제사 지내고
가족 간의 정 나눔

음복술 나누면서
생존의 아버지를
그리며 추억 속을
달려본 뜻깊은 날
괜스레 울컥해진 맘
방울방울 눈물 바람
– 시조 「그리운 날」 전문

가족 간의 따뜻한 정 나눔이 있는 모습을 그린 시조이다. 가족이 함께하면서 나누는 정에는 사랑이 넘치고 따뜻함이 넘친다. 어쩌면 행복은 실천적인 나눔에서 시작되는 것이리라.

영화배우인 오드리 헵번은 이런 유명한 말을 남겼다. "너에게 두 손이 있는 이유는 너와 다른 사람을 돕기 위해서다."

이 얼마나 멋지고 아름다운 말인가.

아리스토텔레스는 『시학』에서 스토리는 '반드시 행동에 관한 것'이라고 강조한다. 여기서 스토리는 '사실에 감정을 입힌 것'을 말한다. 실천하는 행동이야말로 우리가 정말로 가치 있게 여기는 것이라는 것이다. 결국 우리가 어떤 사람이었는지 드러내는 것은 우리의 '생각'이 아니라 '행동'이라는 것이다.

요즘은 스펙(specification:구직자 사이에서 학력, 학점, 자격증 따위를 통틀어 이르는 말)을 많이 따진다. 그러나 그것에는 한계가 있다. 그 스펙은 '지식'에 관한 것이다. 그러기에 '행동'으로 절대 보여줄 수 없다. 그 사람이 진정 어떠한 사람이었는지 판단하는 기준은 '지식'이 아니라 '행동'이기 때문이다.

문인들에게도 사실 행동하는 정신이 필요하다. 우리 주변에는 우후죽순처럼 많은 문인단체가 있고 모임들이 있다. 하지만 경제적인 사정 탓인지, 아니면 돈을 벌기 위함인지 경제적인 것에 너무 치중한다. 한 단체를 운영함에는 경제적인 상황을 무시할 수 없기에 이해는 한다. 하지만 나눔의 정신이 다소 희박한 것이 아닌가 한다. 마치 문인들의 등단을 위한 사업을 펼치는 양, 부끄럽지만 시인 자격을 주고 사면서 책을 사고파는 부끄러운 행태의 모습을 종종 볼 수 있다. 참으로 안타까운 일이다.

지금 우리에게 필요한 것은 돈을 많이 번 다음에 나누는 일이 아니다. 더욱이 성공한 다음에 나누겠다는 다짐이 아니다. 지금 있는 그대로 내가 가진 것을 함께 나누어 쓰는 행동이 필요하다.

좋아서 시작하고
가족이 되어줌에
고맙고 감사하고

이보다 더 좋을까
두 사람 사랑하면서
행복했음 좋겠네

조금씩 이해하고
정 나눔 가족이야
배려와 사랑으로
형제간 우애 속에
살갑게 지내다 보면
좋은 일들 올 거야
– 시조 「가족이야」 전문

부부의 사랑과 형제간의 우애는 바로 행복을 시작하는 첫 걸음이다. 내가 행복해야 가족이 행복하고 가족이 행복해야 이웃이 행복하기 때문이다. 시인의 말처럼 배려와 사랑으로 형제의 우애 속에 살갑게 살다 보면 좋은 일이 분명 있을 것이다.

두 사람 길을 떠나 오르막 내리막길
사브랑 함께 걷는 산행길 아름답네
자연이 주는 감사함 평화롭고 행복해

오르고 또 오르고 높은 산 산마루에
잠깐의 쉼을 얻어 과일과 김밥 먹고
클쿠와 노루궁뎅이 고운 버섯 얻었네

귀한 걸 얻었으니 모여서 나눔할까
좋아라 오시겠지 이웃과 오손도손
한 끼로 토종닭 백숙 막걸리도 나누며
　- 시조 「산행」 전문

　지금 자기가 바로 살기 위해서, 자기가 바로 서기 위해서
그 작고 여린 자기를 처음부터 나누는 것이다. 땀 흘려서
농사지은 각종 채소와 나물, 과일, 옥수수 등까지 정성껏
박스에 담아서 오늘도 자신이 지은 시집을 함께 넣어 이웃
들에게 나누는 것이다. 이 얼마나 아름다운 모습인가.
　그 때문인가. 송연화 시인은 농촌의 아낙으로 매일 시를
쓰고 발표하는 삶을 살다 보니 어느덧 열세 권의 시집을
발간했다.

오가는 인정 속에
한 자락 꽃이 피네

사랑꽃 진한 향기
바람결 날려 와서

온종일 싱글벙글해
훈훈함에 취하네

사랑의 정 나눔들
상자 속 둥근 얼굴

귀한 선물 감사함에
마음이 울컥해서

살며시 보고 또 보고
감동해서 눈물 나네
- 시조 「사랑의 향기」 전문

2001년에 개봉한 미국 영화 『아름다운 세상을 위하여』
라는 영화를 본 적이 있다. 이 작품은 캐서린 라이언 하이
디의 소설 『트레버』를 영화화한 작품이다. 중학교 1학년
첫 수업 시간, 사회과목을 맡은 유진 시모넷 선생은 아이
들에게 '세상을 바꿀 아이디어 생각하기 그리고 실천하기'
를 과제로 내준다. 트레버는 자신이 먼저 다른 세 명의 사
람이 혼자서는 할 수 없는 어떤 도움을 준다. 그 나눔은
또 다른 나눔으로 전파될 것이라는 확신과 믿음을 갖는다.
그의 나눔은 어떻게 되었을까?

며칠째 들녘에서
깻잎과 고들빼기
다듬고 손질하고
양념에 목욕시켜
고운 임
정 나눔으로
둥실둥실 보냈네

고단한 일정 속에
하나둘 늘어나는
반찬들 좋아할까
상상 속 시간여행
나 홀로
즐거움 넘쳐
헤매고 있구나

오가는 인정 속에
나눔의 깊은 사랑
손끝으로 이루어진
푸성귀 잔치 벌여
흐뭇한
하루의 일상
웃음꽃에 살아요
– 시조 「마음이 가는 곳에」 전문

시인의 하루의 일상은 웃음꽃이다. 나누는 즐거움에 빠져서 오가는 인정을 경험하는 것이다. 시인의 큰 덕목은 사실 글 나눔이 아니던가.

나눔에는 힘이 있다. 작은 나눔이 곧 행복을 부르기 때문이다. 인간에게 숨어 있는 이타적인 유전자는 본능적으로 나눔의 힘에 이끌리게 만든다. 매서운 추위 속에서 따뜻함이 더욱 진하게 느껴지는 법이다. 각박한 세상 속에서도 따스한 인정은 우리의 삶을 더욱 빛나게 한다. 아직 우리가 희망을 잃지 않을 수 있는 이유가 여기 있는 것이다.

농장주 이웃사촌
인심도 좋아 좋아
골라서 판매하고
남은 걸 몽땅 주네
손수레 가득 담아서
어기영차 옮겼네

노래방 손님들께
나눔으로 드려야지
못난이 멜론 얼굴
가로세로 실 그물망
연두색 멜론 속살은
부드럽고 달콤해
– 시 「멜론」 전문

송연화 시인은 오늘도 낮에는 들녘에서 농사를 짓는다.
그리고 밤에는 노래방에서 손님들을 맞이한다. 그렇게 바
쁜 삶 속에서도 끊임없이 농산물로 그리고 말과 글로 나눔
의 사랑꽃을 피우고 있다. 앞에서 언급했던 신광순 시인이
남긴 말이 불현듯 생각난다.

"그 사람의 인격의 씨앗이 말과 글을 만든다."

그 말과 글이 다시 씨앗이 되어서 이웃에게 혹은 후손들
에게 전해지기 마련이다. 바로 정 나눔이 그렇고 글 나눔

이 그렇다. 다시 말해 말과 글은 그 사람 인격의 씨앗인
것이다.

살며시 피어나는
사랑꽃 온정 속에
처가댁 달려가는
소중한 내 사랑은
염소들 울타리 완성
거침없이 달린다

옆 지기 소중한 임
배려와 정 나눔은
언제나 한결같은
우직한 성품이다
만남은 미완성으로
이젠 최고 내 사람
– 시조 「사랑꽃」 전문

그 덕분인가. 송연화 시인은 나눔의 축복을 경험한다. 바
로 앞에서 언급한 종자와 시인 박물관에 그의 시작품 「꽃
물」이 21번째 시비 작품으로 우뚝 세워졌다. 그의 나눔의
씨앗이 마침내 또 다른 나눔으로 이어지는 축복이 아니겠
는가. 이것이 바로 나눔이고 행동으로 발현된 희망이다.

저만치서 걸어오는
발자국 소리에

빨강 봉선화 피었다

그리움이 뚝뚝
추억은 저만치서
어서 오라 손짓하는데
빨강 꽃물들이면
첫사랑 눈 올 때
만날 수 있으려나
- 송연화 시비 작품 「꽃물」 전문

송연화 시인의 시 세계는 나눔을 통한 사랑의 실천이다.
나눔은 곧 사랑이고 행복인 것이다. 농부는 씨앗을 뿌려
열매를 나누고, 시인은 글말로 시를 지어 사랑을 나누는
것이리라.
　연천의 종자와 시인박물관에 가면 무(無)자 포토존이 두
곳이 있다. 그곳에 있는 말을 다시금 음미해 본다.
"당기면 당길수록 커지는 것이 욕심이고 증오심이다. 아
무것도 아닌 것을 오늘도 기를 쓰고 당기고 있는 나"
　세상 속에서 살아가는 나를 성찰할 수 있는 소중한 글이
자 금언이 아닐까.

　끝으로 송연화 시인이 최근에 지은 시조 작품을 통해 그
의 삶의 철학과 나눔의 시심을 다시금 확인하고자 한다.

　철부지 어린 소녀

한 남자 만남 통해
결혼해 자식 낳고
부모가 되었지요
가정을 이루고 살며
굽이굽이 사연길

자식들 성인 되어
각자의 제자리로
허전함 달래려고
자아를 찾고 싶어
글방을 기웃거리다
스승님을 만났죠

때 늦은 오십 중반
빛나는 이름 하나
받아든 세레모니
시인이 되었지요
눈물 반 살아온 역사
시집 책에 옮겨요

새로운 나의 인생
시집 책 열세 권째
마라톤 긴 여정길
즐겁고 행복해요
종자와 시인 박물관
꽃물 시비 있다오

사랑과 열정으로
감사한 마음 담아
봉사와 나눔으로
새로운 인생 설계
시인의 빛나는 이름
멋진 삶을 위하여
– 시조 「나의 인생, 나의 가족」 전문

 사랑과 열정으로 살아온 그의 마음처럼 봉사와 나눔으로
새로운 인생을 설계하고 있다고 말한다. 그것이 어쩌면 시
인의 역할이고 시인이 꿈꾸는 멋진 삶이 아니겠는가?
 시인의 나눔의 씨앗을 존경한다. 사랑의 시를 쓰는 그의
삶이 또 다른 씨앗으로 번져가길 소망한다.
 언제나 건강과 행복이 가득하길 기원한다.

■ 글벗시선144 송연화 열세 번째 시집

강물 같은 인생

인 쇄 일 2021년 7월 21일

발 행 일 2021년 7월 21일

지 은 이 송 연 화

펴 낸 이 한 주 희

펴 낸 곳 도서출판 글벗

출판등록 2007. 10. 29(제406-2007-100호)

주   소 경기도 파주시 와석순환로 16,(야당동)
롯데캐슬파크타운 905동 1104호

홈페이지 http://guelbut.co.kr

E-mail juhee6305@hanmail.net

전화번호 031-957-1461

팩   스 031-957-7319

가   격 15,000원

I S B N 978-89-6533-188-9 04810